MW00941892

ALFAGUARA
MR
INFANTIL

EL SEÑOR COSQUILLAS
D.R. © del texto: Rosalía Chavelas, 2004
D.R. © de las ilustraciones: Gabriel Pacheco, 2004

D.R. © de esta edición:
Editorial Santillana, S.A. de C.V., 2013
Av. Río Mixcoac 274, Col. Acacias
03240, México, D.F.

Alfaguara Infantil es un sello editorial de **Grupo Prisa**, licenciado a favor de Editorial Santillana, S.A. de C.V.
Éstas son sus sedes:

Argentina, Bolivia, Chile, Colombia, Costa Rica, Ecuador, El Salvador, España, Estados Unidos, Guatemala, México, Panamá, Paraguay, Perú, Puerto Rico, República Dominicana, Uruguay y Venezuela.

Primera edición en Santillana Ediciones Generales, S.A. de C.V.: octubre de 2004
Primera edición con Editorial Santillana, S.A. de C.V.: mayo de 2013
Segunda reimpresión: junio de 2014

ISBN: 978-607-01-1557-8

Impreso en México

El señor Cosquillas

Rosalía Chavelas
Ilustraciones de Gabriel Pacheco

Todas las noches,
cuando ya estoy acostado
listo para dormir,
el señor Cosquillas viene a visitarme.

Siempre llega de manera diferente.

Calladito, calladito,
como si fuera a cazar
una presa muy querida,
se desliza hasta mi cama
y captura mis pies
en su red de plumas.

Entonces, una alocada risa
me sube a la cabeza por las piernas
como si, de paso al hormiguero,
desfilaran veloces las oficiosas
hormigas con el botín de la miel.

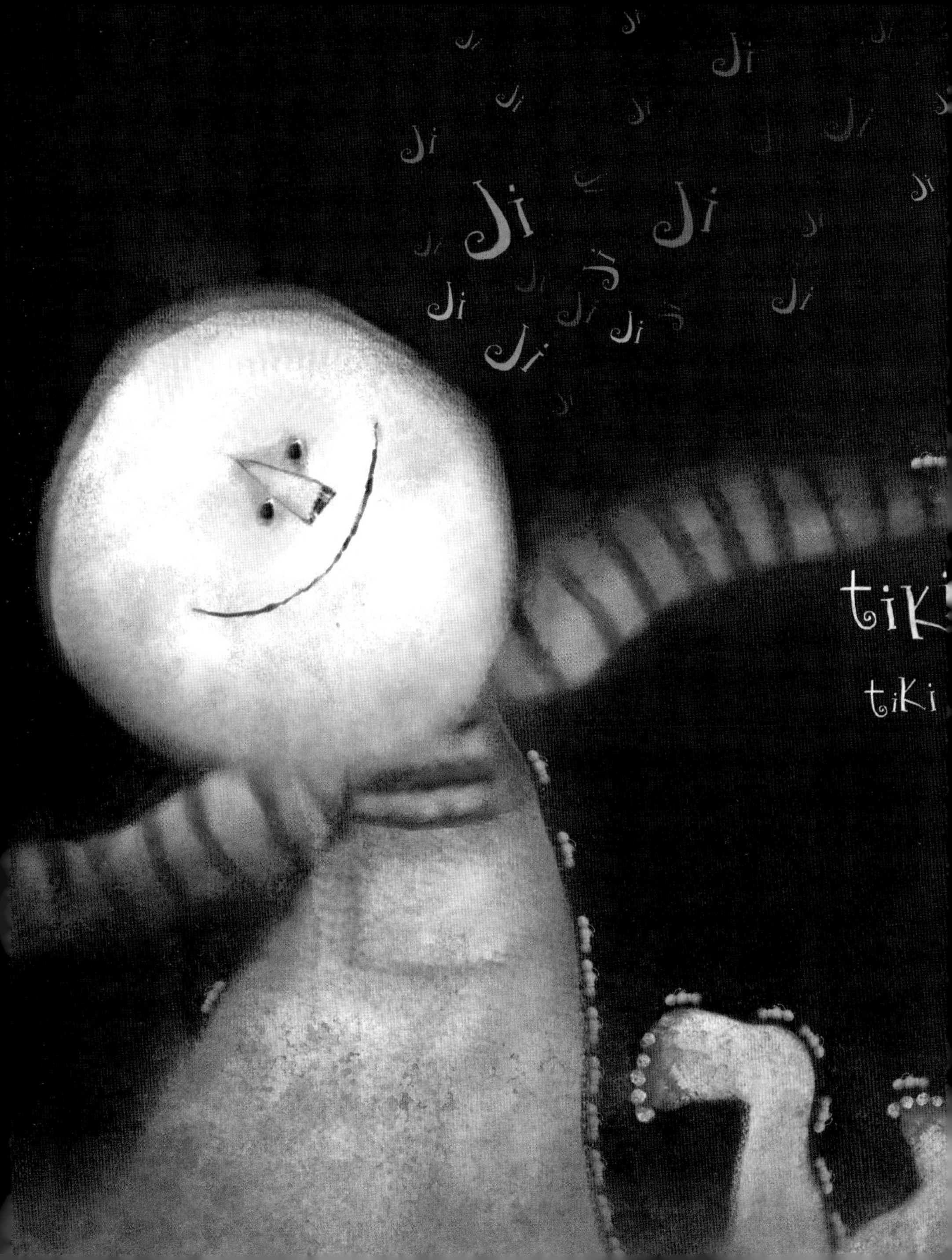
Ji Ji
Ji Ji
Ji
tiki
tiki

Cuando la noche es fresca,
cantando, silbando,
el señor Cosquillas me anuncia que,
ahora, me invadirá
una alegre tonadilla.
Por atrás de las orejas, por el cuello
me envuelve con la suave brisa
de sus manos.

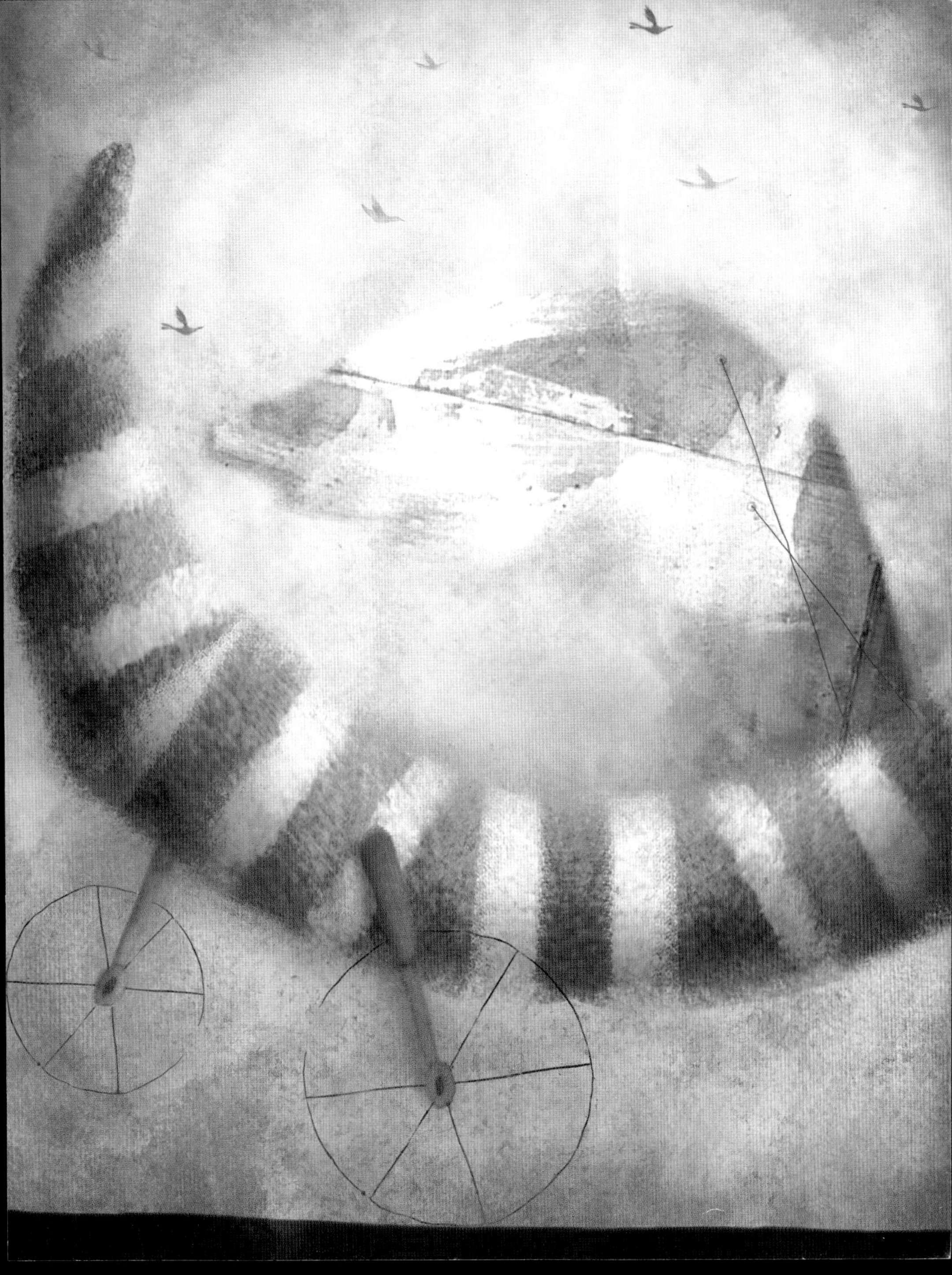

Alguna vez,
un huracán con fuertes vientos
ataca mis costillas,
mi panza, mis axilas.
Me vence con una lluvia fina
que me moja, me moja de la risa.

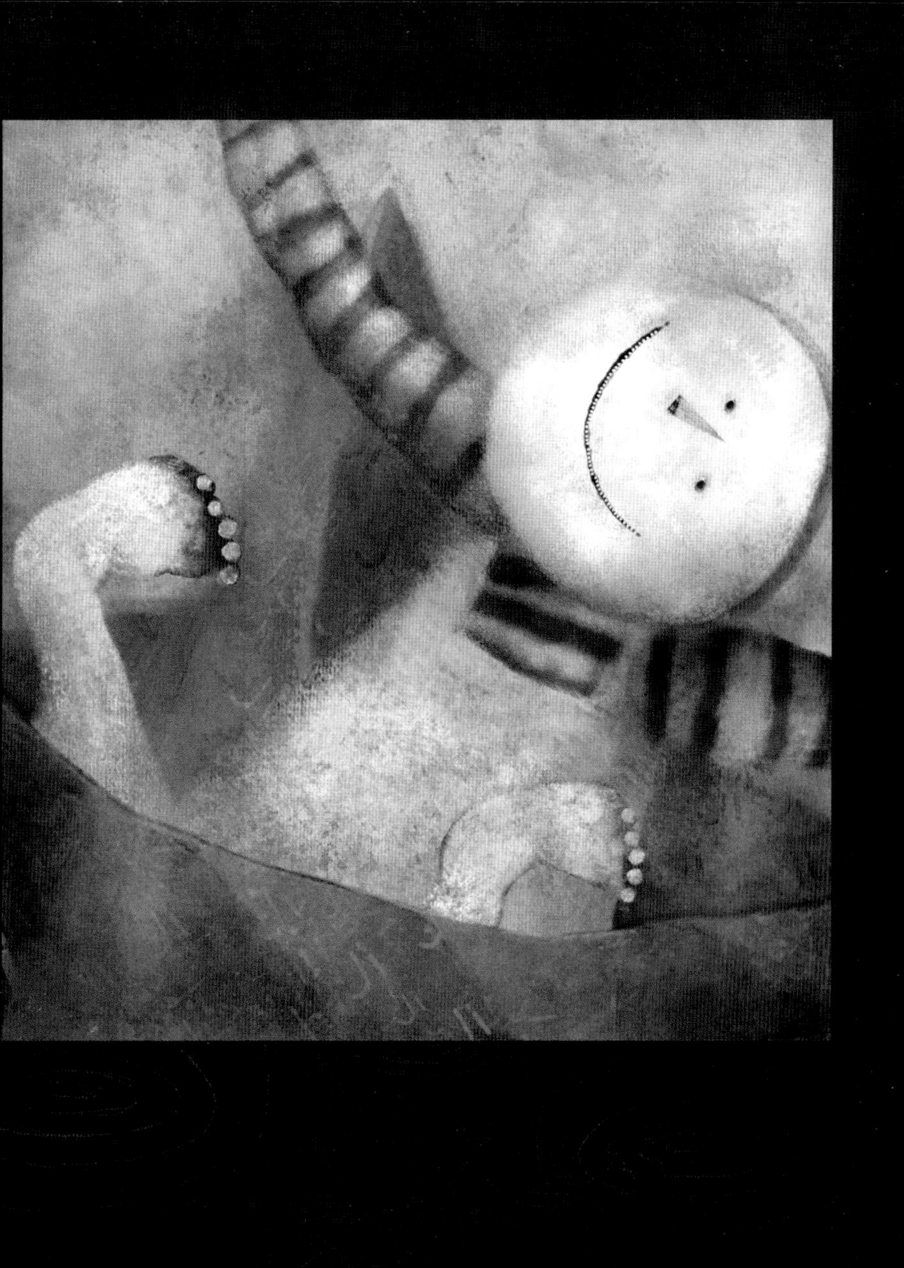

De repente, el señor
Cosquillas llega serio, seco,
como si llevara muchos días
caminando en un desierto.

Con sus dedos fuertes
rasca mis plantas
para abrir un surco en mis pies
y dejar sembrado ahí un rosal,
una azalea, una flor.

Duende travieso,
también sabe saltar sobre mi cama.
Y ataca por todas partes.
No hay defensa posible.

toing

toing

toing

toing

toing

toing

toing

toing

Viene acompañado de chapulines
que brincan por el frente,
por la retaguardia,
y hacen estallar mis carcajadas
en uno, dos, tres, mil
fuegos artificiales.

Siento una gran emoción
cuando en medio de la selva
una serpiente se arrastra
silenciosa por debajo del
árbol donde duermo.

Trepa lentamente
para tomarme por sorpresa y,
primero, con suaves tarascadas
devora un pie, el otro,
una pierna, la otra.
Poco a poco me come por completo.

Ji
Ji
Ji
Ji
Ji
Ji
Ji
Ji
Ji
Ji
Ji
Ji
Ji
Ji
Ji
Ji
Ji
Ji
Ji
Ji

Ocurre que algunas veces
me duermo antes de que
el señor Cosquillas aparezca.
La mañana siguiente sé que vino,
porque he soñado que mi oso de
peluche me acariciaba la nariz.

Ciertas noches,
el señor Cosquillas tarda y yo espero.
Tarda más y yo espero más.
No viene.

tic
tac

Pero entonces… aparece papá.
Me da un beso en la frente y dice:
—Mañana. Mañana
el señor Cosquillas
te llevará en su costal de risa.
Ahora duerme y no esperes más.

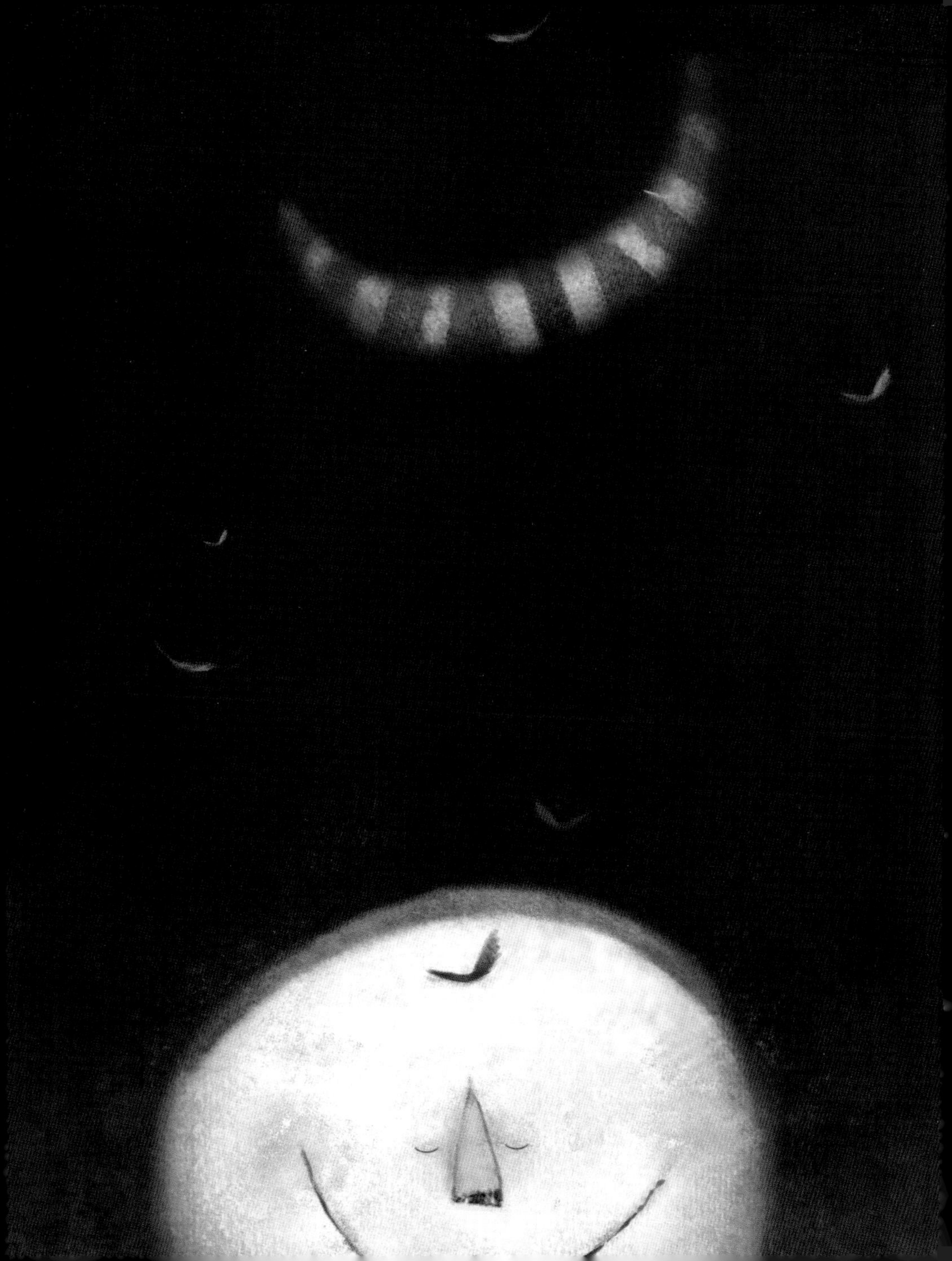

Esta obra se terminó de imprimir en junio de 2014
en los talleres de Editorial Impresora Apolo, S.A. de C.V.
Centeno 150-6, Col. Granjas Esmeralda,
C.P. 09810, México, D.F.